イエスの御名で

謝　辞

この小著を執筆するにあたり、さまざまな人から貴重な助けをいただきました。とくに秘書として働いてくれたコニー・エリス、熟練した技術で原稿を編集してくれたコンラッド・ウィゾレック、内容について洞察に満ちた助言をしてくれたスー・モステラーに感謝の意を表します。また、クロスロード社の社長であるボブ・ヘラー氏にも感謝します。私の講演がこうして本になったのは、彼の提案がきっかけでした。

本書を著わすについて、もっとも励ましとなり、私を力づけてくれたのは、ワシントンDCにある「救い主の教会」で奉仕しているゴードン・コズビーとダイアナ・チェンバーズです。この二人が新しく創設したサーバント・リーダーシップ学校は、この本に示されているようなビジョンに基づくクリスチャン指導者の育成を目指している、と彼らは私に話してくれました。祈りと告白と赦しによる共同体での生活を通し、クリスチャン・リーダーシップを涵養しようとする同校は、都心のスラムに住む貧しい人々への働きと不可分な関係にあります。

またそこでは、霊的な旅をたどるためにユニークな機会を提供しています。それは、絶え間ない祈りと献身的な奉仕という二つを切り離さないことを、イエスから召命を受けた者の生活の特徴とする、ということです。

キリストの弟子を養成する新しい学校で、本書で書き留めたことが、まさに具体的な形をとっていることを知り、私は深い感謝の念に満たされています。

【目次】

聖書からの引用は特に指定がない限り、新改訳聖書（日本聖書刊行会）によった。

プロローグ

友人のマーレイ・マクドネルが、トロント近郊にあるデイブレイク共同体に私を訪ねてきました。そして、二十一世紀におけるクリスチャンのリーダーシップについて話してほしいと、私に依頼しました。ワシントンDCにある人材開発センターの開設十五周年の記念会で、私に話せというわけです。私は、知的障害者のためのラルシュ共同体の一つであるデイブレイクで、司祭として仕事を始めたばかりでした。しかし、だからといって、その申し出を断り、人材開発センターの理事長として、多くの時間と精力をセンターの発展のために捧げているマーレイをがっかりさせたくはありませんでした。それに私は、そのセンターの創設者であるビンセント・ドゥワイヤー神父を知っています。私は、司祭や聖職者の感情的、霊的な健やかさを支えるためのドゥワイヤー神父の献身的な働きに、大いに感銘を受けていました。そこで、その依頼を引き受けることにしました。

しかし、招きに応じてから、来たるべき世紀におけるクリスチャン・リーダーシップについて、健全な展望を提示することなど、およそ容易でないことに気づきました。また、聴衆のほとんどが、自らも司祭でありながら、同じ仲間の司祭を対象とする務め《ミニストリー》に深く関わっている方々です。日夜休むことなく、教会における司祭のあり方とその務め《ミニストリー》の将来を考えているだろう人たちに、私に何を語れというのでしょうか。

さらに、今日多くの司祭が置かれている状況を、一九六〇年代には誰も予見できなかっただろうと思うと、はたして今世紀の彼方のことを、私に考えることができるだろうか、と思いました。

にもかかわらず、「私にできるだろうか……」と自問すればするほど、デイブレイク共同体に加わって以来、私の内で形をとってきた働きに対する考えを、言葉にしたいという押さえがたい欲求が湧き起こってきました。長年、私は教師として牧会学を教えてきました。現在は学究的な生活から退き、知的障害者とその介護者のための司祭として召されています。そこで私は、自分にこう問いかけました。

「私は、二十年間、主の務め《ミニストリー》に備えて学んでいる若い男女に語ってきた。しかし私は今、自分が語り、教えた言葉に、日々誠実に生きているだろうか。今の自分の働きについて、どのように考えているだろうか。そしてその考えは、私の毎日の言葉や行動に、どのような影響を与えているだろうか」

また同時に私は、明日のこと、来週のこと、来年のこと、あるいは、それが次世紀のことであろうと、思い煩うべきではない、と考えるようになりました。今この時点で、自分が考え、語り、なしていることを正直に見つめる努力さえすれば、私の内におられ、将来に向けて私を導いておられる神の御霊の働きを知ることができるはずです。

神は、現在の神です。将来に向けて歩む過程の時々に、注意深く神に耳を傾ける者に、ご自身を現わされる方です。イエスは言われます。「だから、あすのための心配は無用です。あすのことはあすが心配します。労苦はその日その日に、十分あります」(マタイ六・三四)

そのような思いを胸に、私は、デイブレイクでの司祭としての生活について、現在もっとも深く感じていることを、講演の草稿として書き記し始めました。私とかけ離れた環境で生活している司祭や働き人にとって、私が経験し、目にしていることの中で、語るに足るものは何かを慎重に見定めながら……。本書は、そうした思索の果実と言えるものです。

本論に入る前に、この小著を読まれる方にお話しなければならないことがあります。それは、ワシントンDCに行ったのは私一人ではない、ということです。それは、私が講演の準備をしているとき、イエスはみことばを宣べ伝える際に、弟子を一人だけで遣わされなかった、という事実に深く思い至ったからです。イエスは、弟子を二人ずつ遣わされました。私は、どうして一人で行こうとしているのだろう、と思い始めました。私の現在の生活が、本当に障害者のただ中にあるのだとしたら、ぜひ彼らの一人にこの旅に加わってもらい、いっしょに務め《ミニストリー》を分かち合ってくれるように、頼むべきではないでしょうか。

何度か話し合ったのち、デイブレイク共同体は、ビル・バン・ブーレンを私といっしょに遣わすことに決めました。ビルは、私がデイブレイクに赴任したときからのよい友人でした。施設にいる障害者の内で、彼は、言葉と動作で自分を表現することにもっとも長けています。私たちに友情が芽生え始めた頃から、司祭としての私の務め《ミニストリー》に心からの関心を示し、礼拝の間、ずっと私を助けてくれています。

ある日、ビルは私に、自分がまだ洗礼を受けていないと語り、教会に加わりたい強い願いがあると話しました。私は彼に、洗礼志願者のための教区プログラムに参加するように勧めました。そして彼は、毎週木曜日の夜、教区の集いに忠実に通うようになりました。その集会での話や議論は、長く、ときに難解で、ビルの理解力をはるかに超えていました。しかし彼は、自分がそのグループの一員であることを心から感じることができました。自分が受け入れられ、愛されていると感じたのです。

彼はそこで多くのものを受けましたが、自分も寛大な心で多くのものを与えました。復活祭の前夜に行なわれた洗礼、堅信礼、最初の聖体拝領は、まさに、ビルの生涯最高のときでした。多くの言葉を駆使して自分を言い表わせないとはいえ、彼はイエスの臨在に深く感動し、水と聖霊によって新しく生まれることの意味を知りました。

洗礼と堅信礼にあずかった者は、イエスの良い知らせを人々に宣べ伝える新しい務め《ミニストリー》もいただいたのだと、私はビルによく話していました。彼はその言葉に注意深く耳を傾けました。そこで、ワシントンDCにいっしょに行くことを請うと、彼はそれを、私の務め《ミニストリー》に加わるように要請されたのだ、と受け止めました。

「ぼくたちは、その務め《ミニストリー》をいっしょにするんだよね」と、彼は出発前から、ことあるごとに私にそう語りかけました。

「そうだよ。ぼくたちはこの務め《ミニストリー》をいっしょにしよう。きみとぼくは、福音を宣べ伝えるためにワシントンに行くんだ」

私は何度もそう答えました。

ビルは、一時たりともそのことを疑ったことはありませんでした。何を、どのように語ったらよいかと、私がとても神経質になっていたときでも、彼は自分が果たすべき務めについて強い確信をもっていました。私はビルを連れて行くのは、さしあたり、彼にとってよい気分転換になるだろうと考えてのことでした。しかしその間も、最初から彼には、私を助けに行くのだ、という確信がありました。私はのちに、彼が私よりよくことをわきまえていた、と気づかされることになります。トロントで飛行機に乗り込むとき、ビルはもう一度私の思いを確かめました。

「ぼくたち、この奉仕をいっしょにするんだよね。そうだよね」

「もちろんだよ、ビル。そうしよう」

これから、私がワシントンで語ったことをまずご紹介します。そのあとで、そこで起こったことをもっと詳しくお話し、おそらく私が話した言葉より、ビルがその場にいてくれたことのほうが、聴衆の心に消えることのない感化を与えたであろう理由を、説明することにしましょう。

はじめに

二十一世紀におけるクリスチャン・リーダーシップについて話してほしいと依頼されたとき、私は少し不安になりました。人から来月のことを尋ねられてさえ困ってしまう者に、果たして次世紀のことを話すことができるでしょうか。

あれこれずいぶん考えた末、私はできるだけ自分自身の心に密接に関わっているところから考えてみようと決心しました。そして自分にこう問いかけました。

「このところ自分は、どのような決断をしてきただろうか。そして、そうした決断から、自分が将来について感じていることを、どう読み取ることができるだろうか」

ともかく私は、神が自分の内に働いておられることに信頼しなければなりません。私がたどりつつある新しい内面と外界に向かう道も、私はそのごく小さな一部にしかすぎなくとも、将来へ向けての大きな動きに組み入れられているのだ、ということに信頼しなければなりません。

牧会心理学、牧会学、クリスチャンの霊性の教師として、アカデミックな世界で過ごした二十年を経て、私は深い内面的な恐れを感ずるようになりました。すなわち、五十歳代に入り、自分の人生にはもう過去と同じだけの時間は残されていないと気づいて、次のような単純な問いに直面するようになったのです。

「年を重ねて、私はよりイエスに近づいただろうか？」

司祭になって二十五年になっていましたが、依然として、祈りにおいて貧しく、やや人々から孤立した生活を送り、自分をせきたてる目先の問題にすっかり心奪われていることに気づきました。人は、私が申しぶんなくやっている、と言ってくれました。しかし、心の内の何かが、私の築いてきた成功は、自らの魂を危機に陥れている、とささやくのです。

私は、自問しました。観想的な祈りの不足、孤独な状態、緊急と思えることに次から次へと引きずられるのは、私の内で、御霊が徐々に消えつつある徴《しるし》ではないだろうか、と。その事実を、はっきりと認めることは、私にとって実にむずかしいことでした。それまで私は、一度も地獄について話したことがなく、話したとしても冗談で触れる程度であったのに、ある日、目覚めたとき、自分が暗い闇の中に生きているのに気づかされました。そして、心理学用語で用いる「燃えつきる」という言葉は、霊的な死を表わすのにぴったりであることに気づきました。そうしたただ中で、私はこう祈り続けました。

「主よ。私がどこに行くべきか、あなたが望んでおられることをお示しくださ
い。私は従います。ただし、どうかそれをあいまいにではなく、はっきりとお
示しください！」
するとどうでしょう、神はそうしてくださいました。知的障害者のための共
同体であるラルシュの創設者、ジャン・バニエを示し、神はこう言われました。
「行って、心の貧しい人々の間に住みなさい。彼らは、あなたを癒してくれる
だろう」
その召しは、選択の余地なく、ただ従うほかないというほど確かで、はっき
りとしたものでした。
そこで私は、ハーバードからラルシュに移りました。この世の支配を望んで
いる者にとって、最高の、輝かしい場とも言えるところから、社会的必要から
見れば、せいぜい周辺的にしかとらえられない、しかも、言葉や思考というも

のをほとんど、あるいはまったくもたない人々のところに移ったのです。それは私にとって、非常につらい、苦痛に満ちた移動であり、今もって私は、それを成し遂げつつあるところです。

二十年間、自分が望む場所に自由に行け、自分が選択したことを自由に議論して過ごしたのち、心とからだの傷ついた人々との、ほとんど人目に触れることのない小さな生活に入りました。それは、言葉が最小限にしか必要とされない、決まりきった日々の繰り返しでした。そうした生活が、霊的に燃えつきた者の解決につながるとは、すぐには思えませんでした。しかし今やラルシュでの新しい生活は、これからの時代のクリスチャン・リーダーシップについて、語るに足る新しい言葉を私に提供してくれています。というのは、私はそこに、神のことばに仕える者が直面すべき、すべてのチャレンジがあることを見いだしたからです。

本書で私は、知能に障害をもった人々との生活から像《かたち》を結んだ、いくつかのイメージをお伝えします。そしてそれらが、これからの時代のクリスチャン・リーダーシップについて思いめぐらすとき、あるべき方向性をいくらかでも指し示すことができるようにと願っています。

私の思索を分かち合うにあたり、福音書にある二つの物語に導かれて、それを行ないたいと思います。一つは、イエスが荒野で受けた誘惑の物語（マタイ四・一―一一）から、もう一つは、ペテロの羊飼いへの召しの物語（ヨハネ二一・一五―一九）からです。

I

能力を示すことから、祈りへ

誘惑 —— 自分の能力を示すこと

知的障害者と共に、ひとつ家に暮らすようになって最初に受けた衝撃は、彼らが私を好いてくれるか嫌いになるかについて、私がそれまでに成し遂げた多くの貢献のどれも、いっさい関係がないということでした。私の書いたさまざまな本を誰一人読めませんから、それに感動したというような人はいません。また、ほとんどの者は学校に行ったことがないので、私がノートルダム、イェール、ハーバードの各大学で教えた二十年の経歴も、自己紹介として大した意味をもちません。まして、私のエキュメニカルな分野での少なからぬ経験など、何の役にも立ちませんでした。

夕食のとき、私がアシスタントの一人に肉を分けてあげますと、障害者のある人がこう言ったものです。

「彼に肉をあげちゃだめだよ。肉は食べないんだ。長老派なんだから」

かつては有効だった能力がどれも使えないということは、私を本当に不安に陥れました。突然、裸にされた自分というものに向き合わせられたのです。そうした私は、受け入れられることもあれば、退けられることもあり、抱き締められることもあれば、パンチを浴びることもあります。微笑み返されることもあれば、涙を流されることさえあります。

それがみんな、その瞬間に私が彼らにどう受け止められたか、ただその一事にかかっているのです。ある意味では、人生をまったく新しくやり直しているような思いでした。それまでのさまざまな関係や交友や名声は、もう当てにできませんでした。

こうした経験はいろいろな意味で、今もなお私の新しい生活の中で、もっとも重要なことです。というのは、それによって私は、自分の真のアイデンティティを再発見せざるをえなくなったからです。心破れ、傷つき、まったく自分を装うことをしないこれらの人々を前に、能力を持つ自分というもの、すなわち、何かができる自分、何かを示せる自分、何かを証明できる自分、何かを築ける自分というものを手放すしかありませんでした。そして、どのような業績にも関わりない、ただ愛を受け、与えるだけの、弱くて傷つきやすいありのままの自分に、自らを改めざるをえませんでした。

こういうことをお話しますのは、私が深く確信していることとして、これからの時代のクリスチャン指導者は、まったく力なき者として、つまり、この世にあって、弱く傷つきやすい自分以外に、何も差し出すものがない者になるように召されている、ということを言いたいのです。それは、イエスが来られて神の愛を明らかにされた方法でした。神の言葉を伝える者として、またイエスに従う者として、私たちが携えるべきすばらしいメッセージは、神は、私たちの行ないや成し遂げることのゆえに私たちを愛されるのではなく、愛の内に私たちを創造し、贖われたがゆえに私たちを愛される、ということです。そして、すべての人間のいのちの真の源である愛を宣べ伝えるために、私たちは選ばれました。

イエスの最初の誘惑は、自分の能力を示すことにありました。すなわち、石をパンに変えるようにイエスは誘惑されたのです。ああ、私もそのようにできたらと、何度願ったことでしょう！　ペルーのリマ市郊外にあるスラムを訪れたとき、子どもたちが栄養失調と汚染された水のゆえに次々と死んでいました。石ころだらけのほこりっぽい通りを歩きながら、その石を手当たりしだいに、クロワッサンやコーヒーケーキ、焼きたてのパンに変えてしまう魔術的な賜物が私にあったら……という思いを拒むことができませんでした。また、水槽からコップに汲んだ腐りかけた水が、飲んでみるとおいしいミルクに変わっていることにみんなが気づき、歓喜するようなことが私にできたらと、どんなに願ったことでしょう。

私たち司祭や牧師は、人々を助け、空腹の者に食べさせ、餓えて死にそうになっている者を救うために召されたのではないでしょうか。私たちは、人々の生活に変化をもたらす者であることを、おのずから多くの人が気づくような何かを行なうために、召されたのではないでしょうか。病の者を癒し、空腹の者に食べさせ、貧しい者の苦しみを和らげるために召されたのではなかったのでしょうか。

イエスも、同じような問いに直面しました。民衆の要求に応えて石をパンに変え、神の子としての力を示すように求められました。しかし、イエスはあくまで御言葉を宣べ伝えるという使命に徹し、こう言われました。

「人はパンだけで生きるのではなく、神の口から出る一つ一つのことばによる」

主の務め《ミニストリー》に携わる者が経験するおもな悩みの一つは、自己評価の低さに苦しむということです。今日、多くの司祭や牧師が、人々にほとんど感化を与えることのできない自分に気づき、悩んでいます。彼らは非常に忙しく働いていますが、きわだった変化を人々の中に見いだすことができません。そこで、自分の努力が実を結んでいないと思ってしまうのです。教会出席者はますます減少し、心理学者、精神療法士、結婚カウンセラー、医師のほうが、自分よりも信頼されているように思えます。クリスチャン指導者の多くが、もっとも痛みに感じていることの一つは、自分たちの歩みに従うことに魅力を覚える若者が、ますます少なくなっていることです。

このごろでは、司祭や牧師になることは、もはや生涯を献げるに値しないかのようです。一方、今日の教会では、賞賛の言葉がほとんど語られず、非難の言葉のほうが多く語られています。そのような雰囲気の中で、人はある種の憂鬱に陥ることなく、どうやって生きていけるというのでしょうか。私たちを取り囲むこの世は、大声でこう叫んでいます。

「私たちは自分たちだけでやっていける。神も教会も司祭も必要ない。私たちはすべてを掌握している。そうでないところがあれば、もっと一生懸命働いてなんとかすればよい。問題は信仰の欠如ではなく、能力の不足だ。もし病気になったら、有能な医師にかかればよい。貧しいのであれば、有能な政治家がいればいい。技術的問題なら、有能な技術者に頼んだらいい。戦争の際に必要なのは、有能な外交家だ。神や教会や聖職者は何世紀もの間、能力不足を埋めるために使われてきた。しかし今日では、それは他の方法で賄われつつある。私たちはもはや実際的な問いに対して、宗教的な答を必要としていない」

こうした世俗化していく風潮の中で、クリスチャンの指導者は、ますます自分が対応力を失い、いよいよ周辺に押しやられていると感じています。多くの者が、このまま務め《ミニストリー》に留まる理由があるだろうかと、疑問を感じ始めています。そこで、聖職者としての務めから退き、自分の新しい適性を伸ばして、より良い世界のために有効な貢献をしようと試みる者たちも出てきました。

しかし、それとはまったく異なる見方もあります。この時代の目に見えるすべての大いなる業績の奥底に、深い絶望の川が流れています。効率化と管理化が血眼になって追い求められる社会で、孤独や孤立、友情や親密さの欠如、さまざまな人間関係の破れ、倦怠、空虚感、憂欝、自分は必要とされていないという深い意識などが、数え切れないくらいの人々の心を覆いつくしています。

ブレット・イーストン・エリスの小説、『レス・ザン・ゼロ』は、この時代の見せかけの富、成功、流行、権力の背後にある道徳的、霊的貧しさを、これ以上はないというほど、ありありと描いて見せてくれます。エリスは、短い話を断続的に重ねる劇的な手法で、ロサンゼルスに住む十代の男女のセックス、麻薬、暴力を描いています。彼らは皆、大金持ちの芸能人の子どもたちです。そのあらゆる退廃の背後から、明らかにこのような叫びが聞こえます。

「私を愛してくれる人は誰もいないの？　ぼくを心にかけてくれる人はいないの？　私のために家にいてくれる人は、どこにもいないの？　どうしようもなくなったとき、泣き出したくなったとき、ぼくといっしょにいたいと思ってくれる人は誰もいないの？　私をしっかり支えてくれて、一体感を与えるくれる人はどこにもいないの？」

このうわべだけの自信に満ちた社会をよく見つめると、「社会に適応できない」という感覚は、私たちが考えるより、はるかに広い範囲の人々にいきわたっています。社会における知的障害者の数は、医療技術の進歩と悲劇的な中絶の増加で急激に減るかもしれません。しかし、ますます多くの人が、どこに癒しを求めるべきかも知らないままに、深い道徳的な、霊的な障害に苦しんでいます。

クリスチャンの新しいリーダーシップの求められる場が、ここにあることは明らかです。これからの時代の指導者は神の使命として、現代世界の中にあって、あえて異質であることを主張する者となるでしょう。そしてその使命は、すべての華やかな成功の裏に潜む苦悩と深く連帯し、そこにイエスの光をもたらすように私たちを導くのです。

問い ――「あなたはわたしを愛するか」

イエスは、牧者としての務めをペテロに託す前に、こう問われました。

「ヨハネの子シモン。あなたはこの人たち以上にわたしを愛するか」

イエスは再度、彼に問うて言われました。

「あなたはわたしを愛するか」

さらに三度も、イエスは問われました。

「あなたはわたしを愛するか」

この問いは、クリスチャンのすべての務め《ミニストリー》の核心に触れるものとして聞かれるべきです。この問いこそが、私たちを主の働き人たらしめ、自らの名声を求めずして、同時に真の意味で、確信に満ちた者としてくれるのです。

イエスをご覧ください。この世は、彼に何の注意も払いませんでした。彼は十字架につけられ、見捨てられました。彼の愛のメッセージは、権力と効率と支配を求める世界によって退けられました。しかし、見る目と、聞く耳と、理解する心をもった数名の友に、十字架の傷もそのままに、栄光のからだで顕れになりました。この退けられた、人に知られない、傷ついたイエスが、単純にこう問われるのです。

「あなたはわたしを愛するか。あなたは本当にわたしを愛するか」

神の無条件の愛を告げ知らせることに、唯一の関心をもたれた方が、たった一つの問いを私たちに問われます。

「あなたはわたしを愛するか」と。

どれだけの数の人があなたを重要な人物と見るか、という問いではありません。また、あなたがどれだけのことを成し遂げたか、どれだけの成果を示すことができるか、ということでもありません。あなたがイエスと愛の関係にあるかだけが問われているのです。おそらくこの問いは、受肉された神をあなたは知っていますか、とも言い換えられるでしょう。

この孤独と絶望が支配する世界には、神の心を知る男性と女性が大いに求められています。その心とは、赦す心、保護する心、自ら出て行き癒そうとする心です。疑い、復讐心、憤り、憎しみの影のない心です。ただひたすらに愛を与え、愛を受けることだけを願う心です。人間の大きな苦悩に、神は慰めと希望を差し出そうとされているのに、その神の心に信頼しようとしない人々を見て、深く苦しむ心です。

これからの時代のクリスチャン指導者は、イエスによって肉となられた、すなわち「肉の心」となられた神の心を、真に知る者でなければなりません。神の心を知る者とは、神は愛であり、愛以外のお方ではないということを、終始一貫して、徹底的に、できる限り具体的に告げ知らせ、はっきりと示す者のことです。また、恐れや孤立や絶望が人間の魂を襲うときに、どのような場合でも、それは神からのものではない、ということを知らせる者のことです。こういう言い方は、単純過ぎると思われるかもしれませんし、陳腐にさえ響くかもしれません。しかし、自分が一切の条件なしに、限りなく愛されているということを知っている人は、本当に少ないのです。

この無条件で与えられている無限の愛は、神の最初の愛として、福音書の記者ヨハネが、次のように表現しました。

「わたしたちが愛するのは、神がまずわたしたちを愛してくださったからです」(Iヨハネ四・一九)

疑い、欲求不満、怒り、憤りの状態に私たちをよく引き込むのは、第二の愛です。ここで言う第二の愛とは、私たちが両親、教師、配偶者、友人から受ける賞賛、情愛、同情、励まし、支援などのことです。そのような愛は、いかに限りがあり、壊れやすく、もろいものであるか、誰もが知っています。この第二の愛が表わされた背後にはいつも、拒否、放棄、刑罰、脅し、暴力、また憎しみすら隠されていることが多いのです。現代の多くの映画や演劇は、対人関係での曖昧さや相矛盾する思いを描いています。すべての友人関係、結婚関係、社会関係において、私たちはこの第二の愛のもつ緊張やストレスを強く感じています。日常生活で話される冗談にさえ、その奥底に、自暴自棄、裏切り、拒絶、断絶、喪失といった傷が、口を開いていることが多いように思います。これらはすべて、第二の愛がもたらす影の部分であり、人間につきまとう心の闇を明らかにしています。

しかし、第二の愛は最初の愛の破れを映し出すものに過ぎません。ですから、今や最初の愛が、移り行く影のない神によって差し出されている、と告知することこそ、人を根本から変えるすばらしい良き知らせです。

イエスの心は、いかなる影も寄せつけない、神の最初の愛が受肉したものです。そしてその心から、生ける水が流れ出ます。イエスは大声でこう叫ばれました。

「だれでも渇いているなら、わたしのもとに来て飲みなさい。わたしを信じる者はだれでも来て飲みなさい」(ヨハネ七・三七参照)

「すべて、疲れた人、重荷を負っている人は、わたしのところに来なさい。わたしがあなたがたを休ませてあげます。わたしは心優しく、へりくだっているから、あなたがたもわたしのくびきを負って、わたしから学びなさい。そうすればたましいに安らぎが来ます」(マタイ一一・二八―二九)

この心から、イエスは語られたのです。

「あなたはわたしを愛するか」、と。

イエスの心を知ることと、彼を愛することとは同じです。イエスの心を知るとは、心について知ることです。その知識をもってこの世界に生きるなら、私たちはどこにあっても、和解、癒し、新しいいのちをもたらす者とならずにはおれません。そして、この世で名声を獲得し、成功者になろうとする欲求は徐々に消え去り、むしろ自分の全存在を傾けて、人類という兄弟姉妹に次のように語りかけることを、唯一の願いとすることでしょう。

「あなたは愛されています。何も恐れることはありません。神は愛をもって、あなたの心のもっとも深いところをかたち造られ、あなたを母の胎の中で組み立てられたのです」(詩篇一三九・一三参照)

訓練――観想的な祈りの恵み

（訳注・観想的な祈りとは、沈黙のうちに神の最初の愛と臨在に浸り、神ご自身と親密に結ばれることを求める祈り。）

この世で名声を得ようとする欲求に支配されることなく、安んじて神の最初の愛を知ることに錨を下ろして生きるためには、神秘家にならねばなりません。ここで言う神秘家とは、自らの生き方が神の最初の愛に深く根ざしている人のことです。

これからの時代のクリスチャン指導者に特に求められるものがあるとすれば、それは、「あなたはわたしを愛するか。あなたはわたしを愛するか。あなたはわたしを愛するか」、と問い続けられる方のご臨在の内に住む訓練を受けることでしょう。それは観想的な祈りの訓練です。

私たちは観想的な祈りをすることによって、次から次へと私たちを追い立てる事態や、神の心や自分自身を忘れてさまよったりすることから自らを守ることができます。観想的な祈りは、道行くときも、移動している最中でも、また、暴力や戦争の騒音に取り囲まれているときでさえも、私たちを住むべきところに安全に根づかせてくれます。この観想的な祈りによって、私たちはすでに、自由とされ、住むべき場所を見いだし、神に属しているのだ、という知識を深く植えつけられます。たとえ、私たちを取り囲んでいるすべての事柄やすべての人が、それに逆らうような状況にあったとしても、観想的な祈りをすることによって、こうした知識を深く根づかせることができるのです。

これからの時代の司祭や牧師は、道徳的で、よく訓練されており、仲間を熱心に助け、時代の要求する重要な問題に創造的に対応できる、というだけでは足りません。それらは非常に価値のあることであり、重要なことです。しかし、それがクリスチャン指導者の核心に触れることではありません。それを決定づけるものはむしろ、次のような問いにあります。男女の別なく、指導者として真に神の人であるか、すなわち、神の御声に耳を傾け、神の美しさを仰ぎ見、神の受肉したことばに触れ、神の無限の善を十分に味わうために、神の臨在の内に住もうとする、燃えるような願いを持つ人であるか、ということです。

「神学」という言葉の本来の意味は、「祈りにおいて神と結ばれる」ということです。今日、神学は、他の多くの学問と並び称される一つのアカデミックな訓練になってしまいました。神学者で、祈ることに困難を覚える人が珍しくありません。しかし、これからの時代のクリスチャン指導者にきわめて重要なことは、神学の神秘的な側面を取り戻すことです。そうするなら、語る言葉、与える助言、実行する対策のすべてが、神を親密に知る心から生まれ出るようになるでしょう。

現在、教会内で行なわれている教皇権、女性の任職、司祭の結婚、同性愛、産児制限、中絶、安楽死などをめぐる多くの論議は、おもに道徳的レベルでなされている、という印象を私は持ちます。そうしたレベルで、異なる意見を持つグループがことの善し悪しをめぐって戦っています。しかしその戦いは、すべての人間関係の根底にある神の最初の愛を経験することから、離れたところで行なわれていることが多いのです。人々の意見を説明するのに、右派、反動、保守、リベラル、左派といった言葉がよく使われます。そのため多くの議論は、霊的な真理の探求というより、まるで政治的な抗争をしているかのようです。

クリスチャンの指導者は、ただ単にこの時代の急を要する問題に精通している、というだけであってはなりません。そのリーダーシップは、受肉したことばであるイエスとの絶えざる、親密な交わりに根ざしていなければなりません。

イエスとの交わりの中に、自らの言葉と助言と指導の源泉を見いだす必要があります。

クリスチャンの指導者は、観想的な祈りの訓練によって、繰り返し繰り返し愛の声に耳を傾けねばなりません。どのような問題が目の前にあろうと、イエスとの愛の交わりに、それを処理する知恵と勇気を見いだす必要があります。こうした、神との個人的な関係に深く根ざすことなしに急を要する問題を扱えば、容易に分裂を引き起こすはめになります。なぜなら、その問題の本質を知る以前に、自分の意見によって意識が捕えられてしまうからです。しかし、いのちの源に、個人的な親密さでしっかりと根づいているなら、私たちは相対主義に陥ることなく柔軟さを保ち、凝り固まった考えに陥ることなく確信し、攻撃的になることなく相手に立ち向かい、軟弱さからではない柔和さと赦す心をもち、人心を操作することなく真の証しをなすことができるでしょう。

これからの時代に、真に実を結ぶクリスチャン・リーダーシップを身につけるためには、道徳的であることから、神秘的であることへの移行が求められるのです。

II

人気を求めることから、仕えることへ

誘惑――人の歓心を買うこと

　ハーバードからラルシュに移ったことで学んだ、もう一つのことをお話しましょう。それは、務《ミニストリー》めを分かち合うということです。神学校で私は、牧会の働きは、本質的に個人的な務《ミニストリー》めだと信じさせられる教育を受けました。それがために、十分な訓練を受け、整えられる必要がありました。そして六年の期間が終わると、説教、秘跡の執行、カウンセリング、教区の運営のための十分な教育を受けた者とみなされました。私は、まるで大きなリュックを背負って、長い長い徒歩の旅に出る者のようでした。そのリュックには、途中で出会う人々が必要とするすべてのものが詰まっています。問いに対しては答が、問題に対しては解決が、人の痛みに対してはそれを癒す薬が入っています。ですから、ただ自分の扱う要件が、この三つの内のどれに該当するかを知ってさえすればよいのです。

年月を経るにつれ、事はそれほど単純でないことに私は気づきました。しかし、務め《ミニストリー》に対する私の基本的なアプローチは相変わらず個人的なものでした。個人的な関心事のみに終始する生活は、教師になってなおいっそうその傾向を増しました。自分の研究テーマ、自分の方法論、ときには自分の生徒さえ選択することができました。私のやり方に質問する者さえいません。教室を離れればば離れたで、まったく思いのままに好きなことができました。つまりは私たちは誰でも、自分の個人的な生活を自分のものとして生きる権利をもっています。

ところがラルシュに来ると、私のこうした個人主義は根本的なチャレンジを受けました。そこで生活する私は、障害者と共に誠実に生きようとしているその他大勢の一人に過ぎません。司祭であるという事実も、自分の思いのままに事を進める許可証にはなりません。そしてすべての人が、いつも私の居場所を知りたがる中に突然置かれました。どのような動きにも、私は責任を持たねばなりません。共同体のあるメンバーが、私といっしょに行動するようにと任命されました。私を助ける小さなグループもつくられ、私がどの招待を受け、どれを断るべきか決定します。今いっしょに生活している障害者からいちばんよく尋ねられることは、「今晩、家にいる？」ということです。

あるとき、いっしょに生活している障害者の一人であるトレボーに、しばしの別れの挨拶なしに旅に出たことがあります。目的地に着いて最初にかかってきた電話は、トレボーからの涙の訴えでした。

「ヘンリ、どうして行ってしまったの。みんなとても寂しがってるよ。お願いだから、帰って来てよ」

心に深い傷を負った人々と共同生活をすることによって、私のそれまでの人生が、まるで高い塔から塔へと張られた細いロープの上で綱渡りをしているようなものだった、と気づかされました。私は、落下して脚を折らないことへの拍手喝采を、いつも求めて生きていたのです。

イエスが直面した第二の誘惑はまさに、人々の注目を浴び、大きな称賛を勝ち得る何かをして見せることでした。つまり、「神殿の頂から下に身を投げて、御使いの腕に抱きかかえられるところを見せなさい」という誘惑でした。しかしイエスは、スタントマンになることを拒否されました。イエスは、自分を証明するために来られたのではありません。自分の語ることに価値があることを示すために、熱い石炭の上を歩いたり、火を飲み込んだり、ライオンの口に手を差し入れたりするために来られたのではありません。イエスは言われました。

「あなたの神である主を試みてはならない」

今日の教会をよく見ると、牧師や司祭の間に、個人主義が浸透しているのを容易に認めることができます。他人に誇れるような幅広い技能のレパートリーをもっている人は、あまり多くないでしょう。しかし、もし少しでも誇示できるチャンスがあれば、それは自分一人でしなければならないと、多くの人は思っています。皆さんの多くは、綱渡りに失敗した者のように自分を見ているかもしれません。大勢の人々の心を惹きつける力がなかった、多くの回心者を生み出すことができなかった、魅力的な儀式を演出することができなかった、自分が望んだようには老若男女すべての人から人気を得ることができなかった、思った通りに人々の必要に応えることができなかった――というように。

私たちは頭の中でいまだに、それらすべてのことができなければならない、しかも首尾よくしなければならない、と考えています。明らかに競争社会の一面であるこうしたスター気取りと個人主義的ヒロイズムは、教会にとっても決して無縁ではありません。そこでも、すべて自分一人で行なう独立独行の男性、あるいは女性、という指導者のイメージが支配的です。

務め――「わたしの羊を飼いなさい」

「あなたはわたしを愛するか」と、イエスは三度ペテロに問われたのち、こう言われました。

「わたしの小羊を飼いなさい。わたしの羊を牧しなさい。わたしの羊を飼いなさい」

ペテロの愛を確かめてからイエスは、彼に牧会《ミニストリー》の務めを託されました。現代文化の中で育った私たちは、今やペテロが、あたかも英雄的な宣教に遣わされるかのように、非常に個人的な意味でこの言葉を受けとめるかもしれません。しかし、イエスが羊を牧するようにと言われるとき、あとにつき従う羊の大群の世話をする、勇敢で、孤独な牧者を、私たちに思い浮かべてほしいとは期待されていません。むしろイエスはいろいろな仕方で、務め《ミニストリー》が共同のものであり、私たち人間の相互の経験であることを明らかにしておられます。

とりわけイエスが、十二弟子を二人一組で遣わされた意味がどこにあったかを思いやるべきです（マルコ六・七）。私たちは、自分たちが二人ずつ遣わされているということを忘れています。自分一人では、良い知らせを携えて行くことはできません。私たちは共同体において、いっしょに福音を宣べ伝えるようにと召されています。ここに神の知恵が込められているのです。

「もし、あなたがたのうちふたりが、どんな事でも、地上で心を一つにして祈るなら、天におられるわたしの父は、それをかなえてくださいます。ふたりでも三人でも、わたしの名において集まる所には、わたしもその中にいるからです」（マタイ一八・一九―二〇）

一人で旅をすることと誰かといっしょに旅をすることが、いかに根本的に違ったものかを、すでにお気づきの方もいるでしょう。一人で、真にイエスに忠実であろうとすることがいかに困難であるかを、私はこれまで繰り返し気づかされてきました。

私には共に祈ってくれる兄弟姉妹が必要です。果たすべき霊的な務め《タスク》について共に語り合う兄弟姉妹、また、私の心と思いと体が純粋で健やかであるように、チャレンジしてくれる兄弟姉妹を必要としています。しかし、さらにずっと重要なことは、癒すのはイエスであって私ではない、ということです。真理の言葉を語られるのはイエスであって、私ではありません。イエスが主であって、私が主なのではありません。もし私たちが、兄弟姉妹と共に神の贖いの力を宣べ伝えるなら、そのことが目に見えて明らかにされます。実際、どのような場合であっても、共に宣教することによって、私たちが自分の名によってではなく、私たちを遣わされた主イエスの御名によって来たことを、人々は容易に認めうるのです。

私はこれまで、説教や講演や修養会のために、多くの旅行をしてきましたが、いつも一人で出かけたものです。ところが今はどこに行って話すにも、必ずラルシュによって送り出され、さらにラルシュは同行者を遣わします。いま私がここにビルといっしょにいるのは、私たちは共に生きるべきだというだけでなく、共に生きているその共同体から派遣された働き人である、というビジョンの具体的な表現です。共同体は、私たちを共に送り出しました。それは、ビルと私を愛において結び合わせてくださった同じ主が、二人が共に歩むこの旅の途上で、私たちと他の人々にご自身を顕わしてくださる、という確信によっているのです。

しかし、そこにはそれ以上の意味があります。宣教は、単に共同の経験であるだけでなく、人間相互の経験でもあります。イエスは、羊飼いとしてのご自分の務め《ミニストリー》についてこう語っておられます。

「わたしは良い牧者です。わたしはわたしのものを知っています。また、わたしのものは、わたしを知っています。それは、父がわたしを知っておられ、わたしが父を知っているのと同様です。また、わたしは羊のためにわたしのいのちを捨てます」（ヨハネ一〇・一四―一五）

イエスは仕えるお方です。それゆえ私たちにも、仕えることを求められます。イエスがペテロに求めたのは、さながら「専門家」よろしく、自分に任された患者の問題を知り、治療を施すという仕方で羊を飼い、彼らの世話をしなさい、というのではありません。むしろ、相手を知ると同時に自分が知られ、世話をすると同時にこちらも世話をされ、赦すと同時に自分も赦され、愛すると同時に愛される――。そのような傷つきやすい兄弟姉妹として羊を牧するように、と望まれたのです。しかし私たちはいつごろから、自分に託された人々の間で良いリーダーシップを発揮するには、彼らと間に安全な距離を保たねばならない、と信じるようになったのでしょうか。

医療や精神治療や社会奉仕の働きのすべては、一方通行でなされる「奉仕」がモデルとなっています。ある者が仕え、ある者が仕えられる、そして、両者の役割は決して混同されてはならない、とされています！　しかし、深い人格的関係に入ることさえ許されない人のために、どうして自分のいのちを捨てることができるでしょうか。自分のいのちを捨てるとは、ほかでもない、共にいのちの主に触れるために、自分の信仰と疑い、希望と絶望、喜びと悲しみ、勇気と恐れを、他の人々と分かち合うことです。

私たち自身は、癒す者でも、和解をもたらす者でも、いのちを与える者でもありません。私たちは自分が世話をする人々と同じく、世話されることを必要とする罪深い、破綻した、傷つきやすい人間です。主の務め《ミニストリー》のもつ神秘は、私たちのもつ限界と条件つきでしかない愛を、無限で、しかも無条件に与えられている神の愛の通路と成すために、私たちが選ばれたということです。真の主の務め《ミニストリー》は、相互的であらねばなりません。そのためには信仰による共同体のメンバーが、自分たちを世話する牧者を真に知り、愛することができなければなりません。そうでないなら、牧会の業はすぐに、他者に対して狡猾に権力を行使するようになり、権威主義的で独裁的な色を帯び始めるでしょう。

効率化と管理化を追求する今の世界には、イエスと同じような牧者でありたいと願う人々に示すことのできるモデルはありません。いわゆる「専門的な介助者」でさえ、すっかり世俗化されています。そして、相互に仕え合うというあり方は、役割分担を混同した脆弱で危険なことと見なされます。イエスの教えられたリーダーシップは、この世の教えるリーダーシップとは根本的に異なった種類のものです。それは、しもべとしてのリーダーシップであり、ロバート・グリーンリーフ〔*〕の言葉を使えば、相手が自分を必要とするように、自分も相手を必要とする、傷つきやすいしもべとしての指導者のあり方です。

こうして明らかなように、これからの時代の教会は、まったく新しいタイプのリーダーシップが求められています。それは、世の権力を手中にしようとする競争をモデルとするのでなく、多くの人の救いのためにご自分のいのちを与えるために来られたしもべとしての指導者、イエスを模範とするリーダーシップです。

訓練 —— 告白と赦しの回復

ここで私たちは、一つの問いに直面します。すなわち、自分が英雄になりたいという誘惑に打ち勝つために、今後の指導者にはどのような訓練が必要か、ということです。それに対し私は、告白と赦しということを訓練として取り上げたいと思います。これからの指導者は、観想的な祈りに深く心を浸した神秘家であらねばなりません。また同時に、いつも自分の罪を心から告白し、自分が仕えている人々から赦しを請う者でなければなりません。

告白と赦しは、罪深い私たち人間が互いに愛し合うことを、具体的な形に表わしたものです。よく思わされるのですが、司祭や牧師は、クリスチャンの共同体の中で、もっとも告白することの少ない人種ではないでしょうか。しばしば告解の秘跡が、自分が仕えている共同体に対して、自分の弱さや傷を覆い隠す方便になっていることがあります。罪について話され、儀式的に赦しの言葉が語られますが、イエスによる和解と癒しが生じるような真の出会いが起ることは、めったにありません。本心を打ち明けるには、恐れや隔たりがあまりに大きく、また、あまりにもとおりいっぺんに事が進行していくため、真に耳を傾け、語りかけ、罪の赦しを告げることがあまりに少ないのです。そうしたところに、真の秘跡はほとんど期待できません。

自分が仕えている人々に自分の罪や失敗を隠しているために、小さな安らぎと慰めを求めに、遠くの見知らぬ人のところに逃げ込まねばならないのだとしたら、どうすれば自分が人々から真に愛され、心に留められていると感じることができるでしょうか。そして、いっしょにいる人が自分たちの牧者について知らず、その人を深く愛することができないのだとしたら、どのようにその牧者のために心を用い、聖なる務めに忠実たらしめることができるでしょうか。多くの牧師や司祭が深い孤独感に苦しみ、たびたび異性の愛情や肉体的な親密さへの強い欲求を覚え、ときに自分が牧している民を前にして、深い罪責感と恥辱にとらわれたとしても、私は別段驚きません。そのような人はたぶん、心の中でこう思うでしょう。

「もし私の世話をしている人たちが、私が感じたり、考えたり、空想にふけったりしていることの本当の中身を知ったら、どうなってしまうだろう。私が一人で学んでいるとき、自分の心がどこにさまよい出ているかを知ってしまったら、いったいどうなるだろう」

まさに霊的な指導に自らを献げている男女が、実にたやすく、非常に淫らな肉欲にふけってしまうことがあります。その理由は、彼らがどのように受肉の真理を生きたらよいかを知らないからです。そういう人々は、自分の必要を無視するか、あるいは誰も知らない遠く離れた場所でそれを満足させようとして、自分が属する具体的な共同体から自らを切り離します。すると、自分のもっとも個人的な内面的世界と、自らが伝えている良い知らせとの間に深い分裂を招くことになります。こうして、霊性ということが、肉体を離れた精神化になってしまうと、肉体のいのちは肉欲に陥ります。牧師や司祭が、ほぼ観念の世界だけの務め《ミニストリー》に生き、自分が伝えている福音を一連の価値ある認識や思想というものにしてしまうと、肉体は、愛情と親密さを求めて叫び声をあげ、すぐに復讐をしかけてくるでしょう。

クリスチャンの指導者は、御子の受肉に生きるように召されています。すなわち、肉体において生きるために、しかも自分の肉体に生きるだけではなく、共同体という集合的なからだにおいても生き、そこに聖霊の臨在を見いだすために召されています。

まさに告白と赦しという訓練によって、肉体を離れた精神化と肉欲を避け、真の受肉に生かされることができるのです。告白することにより、肉体的な孤独感から闇の力が引き離され、明るみに出されて、共同体の目にさらされます。そして赦しによって、それらの武装は解除され、追い散らされて、体と霊との新しい統合が可能となります。

こうしたことをお話しても、どれも観念的で非現実的なことだと思われるかもしれません。しかしたとえば、「アルコール断酒会」(A・A)や「アルコール依存症の親をもつ者の会」(A・C・A)のような、癒しの共同体と関わったことのある人なら、このような訓練に癒しの力があることを経験を通して知っています。司祭や牧師を含む多くのクリスチャンが、自分の教会にではなく、

A・AやA・C・Aの十二ステップ（訳注・新しい生き方を求める回復のためのプログラム）によって、御子の受肉の深い意味を発見しています。勇気をもって癒しを探り求め、互いに告白し合うこうした共同体の中で、人々は癒す神の臨在に目覚めています。

だからといって、牧師や司祭が自分の罪や失敗を、講壇や日々の働きの中にもち込み、誰にでも知らせるようにすべきだ、と言うのではありません。それは不健全で無分別なことです。しもべとしてのリーダーシップのあり方ともまったく相入れません。牧師や司祭もまた、他の人と何ら変りなく同じ共同体のメンバーとして召されているという意味は、互いに責任を負い合うことや、他のメンバーの愛と支えを必要としている、ということです。すなわち、傷ついている自己を含めた、自分の全存在をもって仕えるように召されている、という意味があります。

とりわけ、苦悩を背負った多くの人々に関係して働いている司祭や牧師たち

は、自分のために心から安らげる場所が必要なことを、私はよく承知していま
す。また、自らの心の深い痛みや葛藤を分かち合える人々、そして、自分が世
話をする必要のない人々で、しかもこれまで以上に神の深い愛の神秘に導き入
れてくれる人々との出会いの場を必要としています。

私個人について言えば、幸いにもラルシュにそうした場所を見いだしました。
そこには、内に秘めることの多い私の心の痛みについて注意を払ってくれ、優
しい批判と愛による支えにより、私が自分の召しに忠実であり続けられるよう
に守ってくれる一群の友人たちがいます。

すべての司祭や牧師が自分自身のために、このような心安らげる場所を持つ
ことができるようにと、心から願うものです。

〔＊〕 Robert K. Greenleaf, *Servant Leadership: A Journey into the Nature of Legitimate Power and Greatness* (New York／Ramsey／Toronto: Paulist Press, 1977).

III

導くことから、導かれることへ

誘惑 —— 権力を求めること

ハーバードからラルシュに移って経験した三つ目のことをお話しましょう。それは私が明らかに、導く者から導かれる者へと変えられたということです。それまで、年をとって成熟していくとは、より大きな指導力を発揮できるようになることだと、私は漠然と考えていました。実際、私はそのことについて年々自信を深めていました。自分は何かを知っていると感じていましたし、そのことを表現する能力もあり、人はそれに耳を傾けるものだ、と思っていました。ある意味で、私はますます物事を掌握するようになったと感じたものです。

ところが、知的障害者やそのアシスタントと共に生きる共同体に加わるや、掌握していたはずのこうしたすべてのことが崩れ落ち、毎月、毎日、いや毎時間が、驚きの連続となりました。しかもその驚きは多くの場合、何の予告もなしに襲ってきます。たとえば、今日ここにいっしょにいるビルは、私の説教に同感したり、意見が合わなかったりすると、そのことを私に告げるのに、ミサが終わるまで待てません！　論理的な考えに対し、論理的な答が返ってきません。彼らは、自分自身のもっとも深いところから応答することが多いので、もし私の言動が彼らの生活に何の関係ももたないなら、私の説教はほとんど意味を持たないのです。彼らの時々の思いや感情は、美しい言葉や説得的な語調で押さえつけようとしても、とてもできたものではありません。

知的な理解力をあまりもたない人の場合は、自分の心——愛の心、怒りの心、待ち遠しい心——を直接的に話したり、そのまま相手にぶつけることがほとんどどです。ですから私が共に生活している人々は、私が複雑な状況に陥ったり、感情が混乱したり、不安におそわれたときに、依然として、その場を支配しようとする指導者であったことを容易に気づかせてくれました。次の瞬間がどうなるか予想もつかない雰囲気の中で、安らぎを感じるようになるまでには長い時間がかかりました。今でも、厳しく対処してみんなを黙らせようとしたり、「私の言うことを聞きなさい」、「私の言うことを信じなさい」とか言いながら、協力を押しつけるときがあります。

しかし同時に私は、リーダーシップというものの主要な役割が、主に導かれることにある、という神秘に触れつつあります。そして、傷ついた人々の痛みや苦闘はもちろんのこと、彼らがもっている独自な賜物や美点について、多くの新しいことを学ばされています。彼らは、喜びと平和、愛と配慮、そして祈りについて教えてくれます。それはこれまで、どのような学問によっても、一度も学ぶことのできなかったものです。彼らはまた、深い悲しみや暴力、恐れや冷淡さについても、誰も教えてくれなかったことを教えてくれました。特に、私が憂欝になったり、落胆しそうになったときなど、神の最初の愛を彼らは私にかいま見させてくれます。

ここにおられる方はどなたも、イエスが受けた第三の誘惑が何であったかをご存じでしょう。それは権力への誘惑でした。「私は、この世の国々とその栄華を、すべてあなたに与えよう」と、悪魔はイエスに言いました。

過ぎ去ったこの数十年間に、フランス、ドイツ、オランダ、そしてカナダやアメリカでも、非常に多くの人が教会から離れました。そのおもな理由を自問してみると、まず浮かんでくるのは「権力」という言葉です。しかしイエスは、神の子としての「権力」にしがみつくことなく、ご自身を無にして、私たちと同じようになられました。

キリスト教の歴史の最大の皮肉の一つは、指導者たちがそのイエスの御名を語りながら、権力の誘惑、すなわち政治的、軍事的、経済的、あるいは道徳的、霊的能力という力の誘惑に、絶えず負けてきたということです。権力を福音宣教の有効な手段であると考える誘惑は、あらゆる誘惑の中でも最強のものです。神と隣人への奉仕のためなら、権力を手にすることは良いことだと、私たちはよく耳にし、また自分にもそう言い聞かせます。このような合理化によって、十字軍が結成され、宗教裁判が行なわれました。また同じ理由から、インディアンを奴隷とし、大きな影響力を行使できる地位を人に求めさせ、司教官邸や壮麗な聖堂や華やかな神学校が建てられたのです。しかしそこで人々は、果てしない良心のごまかしに終始しました。教会史における大きな危機の時代、すなわち十一世紀の大分裂（訳注・キリスト教会の東西への分裂）、十六世紀の宗教改革、二十世紀のとどまるところを知らない世俗化などに、共通したものがあることを私たちは気づきます。すなわち、その決裂のおもな原因が、貧しく無力になられたイエスに見ならう者だと主張する人々の手による権力の行使にあった、ということです。

権力からの誘惑を、これほどまで抵抗しがたいものにしている理由はどこにあるのでしょうか。それはおそらく、つらい愛の労苦に代わるものを、権力はたやすく与えてくれるからだと思います。神を愛するより自分が神になるほうが、人々を愛するより人々を支配《コントロール》するほうが、生命を愛するより生命を所有するほうが、ずっとやさしいように思えるからです。イエスは問われます。

「あなたはわたしを愛するか」

しかし、私たちはイエスに問いかけます。

「私たちはあなたの御国で、あなたの右と左にすわることができますか」（マタイ二〇・二一の言い換え）

サタンが、「あなたがたがそれを食べるその時、あなたがたの目が開け、あなたがたが神のようになり、善悪を知るようになる」（創世記三・五）と語りかけて以来、私たちはずっと、愛を権力に置き換えるように誘惑され続けてきました。荒野から始まって十字架に至るイエスの道は、この誘惑とのもっとも苦悩に満ちた戦いでした。

痛みに満ちた長い教会の歴史は、神の民が、ときに愛よりは権力を、十字架よりは支配《コントロール》を、導かれる者よりは導く者になろうとする誘惑にさらされた歴史だと言えます。本当の聖人とは、最後までこの誘惑に抵抗し、それによって私たちに希望を与えることのできる人のことです。

一つのことだけは、はっきりしています。権力からの誘惑は、互いの親密な関係が脅かされているときに、もっとも大きいということです。クリスチャンの指導者の多くが、どのようにして健全で、親密な関係を養い育てるべきかを知らないまま、それに代えて権力や支配《コントロール》を選択しています。クリスチャンによる帝国の建設は、その多くが、愛を与えることも受けることもできない人々によって、なされたものなのです。

チャレンジ――「ほかの人があなたを連れていく」

今ここで、私たちはもう一度、イエスに目を転じなければなりません。その理由は、イエスが三度ペテロに、「あなたは、この人たち以上に、わたしを愛するか」と問われ、そして三度彼を牧者に任命したのちに、非常に厳粛にこう言われたからです。

「まことに、まことに、あなたに告げます。
あなたは若かった時には、
自分で帯を締めて、
自分の歩きたい所を歩きました。
しかし年をとると、
あなたは自分の手を伸ばし、
ほかの人があなたに帯をさせて、
あなたの行きたくない所に連れていきます」（ヨハネ二一・一八）

この聖句は、私にハーバードからラルシュに移ることを可能にしてくれた言葉です。この御言葉は、クリスチャン・リーダーシップのあり方の核心に触れるものです。そして折に触れ私たちに、権力を手放し、イエスのとられた謙遜な生き方に従うという新しい道を示してくれます。この世の考え方はこう言うでしょう。

「あなたが若かったときは、他人に依存して生きていたので、自分の行きたい所に行けなかった。しかし年をとると、あなたは自分で決断し、自分の行きたい所に行き、自分の運命を支配できるようになる」

しかしイエスは、私たちの成熟ということについて、異なったビジョンをもっておられます。成熟とは、むしろ自分の行きたくない所に、喜んで導かれて行けるようになる、ということです。イエスはペテロを、ご自分の羊の指導者に任命したすぐあとに、しもべとしての指導者は、自分ではどこかわからない、望まないような苦難の場に導かれるという、厳しい真理を突きつけられました。

クリスチャンの指導者がたどる道は、この世が多大な精力を費やして求める上昇の道ではなく、十字架にたどり着く下降の道です。このような言い方は、病的で被虐的に聞こえるかもしれません。しかし、最初の愛の声を聞き、その声に「はい」と答えた者にとって、イエスの下降の道は、喜びと神の平安に至る道なのです。そして、その喜びと平安は、この世のものとは異なります。

ここで、これからの時代のクリスチャン・リーダーシップに必要とされる、もっとも重要な資質に触れましょう。それは、権力と支配によるリーダーシップではなく、神の苦難のしもべであるイエス・キリストが人々の目の前で示された、無力さとへりくだりのリーダーシップです。もちろん私は、ただ環境のなすがままに操られる無抵抗な犠牲者といった、心理的に脆弱な指導者になれ、と言うのではありません。私が言いたいのは、愛のためにはいつでも、権力を放棄することのできるようなリーダーシップのことです。これこそが、真の霊的なリーダーシップです。

霊的生活における無力さとへりくだりをもった人とは、頼りにならない、何でもほかの人に決断してもらわねばならない人のことを指すのではありません。その意味するものは、イエスに導かれる所なら、どこへでも従う用意ができているほど、イエスを深く愛している人のことです。イエスと共にあれば、どこであってもいのちを見いだし、しかもそれを豊かに見いだせることを、つねに信じている人のことです。

これからの時代のクリスチャン指導者は、いのちの糧を除いては、何も持たないで旅する徹底した貧しい者であるべきです。それは、「パンも、袋も、胴巻きに金も持って行ってはいけません」（マルコ六・八）とあるような生き方のことです。貧しくあることに、どんな良いところがあるでしょうか。何もありません。ただ、自分が導かれる者になるというリーダーシップを手に入れる可能性があるだけです。そのことによって私たちは、自分が遣わされた人々の肯定的、あるいは否定的な反応に依存するようになって、イエスの御霊が導こうとされる所に正しく導かれるのです。

富と豊かさは、イエスの道を正しく見分けることを妨げます。パウロは、テモテにこう書きました。

「金持ちになりたがる人たちは、誘惑とわなと、また人を滅びと破滅に投げ入れる、愚かで、有害な多くの欲とに陥ります」（Ⅰテモテ六・九）

もしこれからの教会に、何らかの希望があるとすれば、その教会の指導者たちが、喜んで導かれる者となることによって、貧しい教会になることでしょう。

訓練――神学的思索への希望

それでは、「自分の手を伸ばして」（ヨハネ二一・一八）生きることができるようになるため、指導者にどのような訓練が求められるでしょうか。それは、たゆまぬ神学的思索にある、と申し上げましょう。祈りが、私たちを最初の愛に結びつけ、告白と赦しが、私たちの務め《ミニストリー》を共同体のもの、また互いのものとするのと同様に、たゆまぬ神学的な思索こそが、私たちの導かれて行く所を批判的に見分けることを可能にしてくれます。

ものごとを神学的に考える牧師や司祭は、非常にまれにしかいません。彼らのほとんどは、心理学や社会学のような行動科学の影響下で教育を受けました。そうした教育が支配的な環境で、真の神学を学ぶことがほとんどできなかったのです。今日、ほとんどのクリスチャン指導者は、たとえ聖書的な用語の枠組を使ってはいても、心理学的な、ないしは社会学的な問いによって物事をとらえています。真に神学的な思索とは、キリストの心で考える、ということです。しかし、それを務め《ミニストリー》の実践の場で見いだすことはほとんどできません。

しっかりした神学的思索がなされないなら、これからの時代の指導者は、えせ心理学者、えせ社会学者、えせソーシャルワーカーと、何ら変わらない者となってしまいます。そうした人たちは自分のことを、何か能力のある者、事を押し進めることのできる者、模範となるモデル、父や母としての理想的な姿、尊敬に価する兄や姉、といった存在として考えるでしょう。実に多くの人が、このように自分を見なしながら、ストレスと緊張に満ちた日々の生活を何とか乗り越えられるようにと、自分と同じ人間仲間を助けようと奮闘しています。

しかしそうしたことは、クリスチャン・リーダーシップと何の関係もないことです。クリスチャン指導者とは、人類を死の力から解放し、永遠のいのちへの道を開くために来られたイエスの御名によって考え、語り、行動する者のことです。そのような指導者の本質として大切なことは、神がいかに人類の歴史において行動なさるかを、絶えず見分けられるようになるということです。また、私たちの人生における個人的な、あるいは共同体的な事柄、また国内の、あるいは国際的な出来事が、どのように十字架の道と、十字架を通しての復活の道に私たちを導いてくれるかということについて、ますます鋭い感受性を養うことです。

これからのクリスチャン指導者の務め《タスク》は、その時々の痛みと苦しみの解決のためにささやかな貢献をすることではなく、イエスが神の民を奴隷の状態から新しい自由の地へと、荒野をたどりながら導き出そうとされたことに、自らの生きる価値を見いだし、その道を告げ知らせることにあります。また、クリスチャン指導者には、人々の個人的な悩み、家庭のもめごと、国内の惨事、国際的な緊張などに、神が実在することへの確かな信仰をもって応ずるという骨の折れる務め《タスク》があります。

さらに、あらゆる形で忍び寄ってくる運命論や敗北主義、統計的な数字が真理を語っているかのように信じ込ませる偶然論、偶発論に対して、「否」と言わねばなりません。人間の生活をまったくの運の善し悪しだけで見てしまうような、あらゆる形の絶望に対して、「否」と言わねばなりません。避けることのできない痛みや苦難や死に直面するとき、あきらめや冷淡という無関心の霊を助長しようとする感傷的誘惑に、「否」と言わねばなりません。つまり指導者たちは、この世の風潮に対して「否」を唱え、神の言葉の受肉であり、およそ存在するものすべてを造られた方が、人類の歴史のもっともささいな出来事でさえ、神の時《カイロス》となしたもうこと、すなわち、さらに深くキリストの心に導かれる機会となしたもうことを、はっきりと宣べ伝えることです。

これからの時代のクリスチャン指導者は、神学者であるべきです。ここで言う神学者とは、神の心を知る者のことであり、祈りと学びと注意深い分析によって、一見、意味も目的もなく起こっているかのように見えるその時代の出来事のただ中で、神の聖なる救いの業をはっきりと示すことのできる訓練を受けた者のことです。

神学的な思索とは、日々経験する苦しみと喜びの現実を、イエスの心で思い巡らすことです。そのことによって、人々の意識を、神の恵みに満ちた導きを知ろうとするようになるまでに引き上げることです。これは困難な訓練です。神の臨在は多くの場合、隠されたものであり、見いだされる必要があるからです。静かで、優しい神の愛の御声は、この世のかん高い、騒々しい雑音によって、私たちの耳に届きにくくなっています。クリスチャン指導者はまさに、人々がその御声を聞きとり、力と慰めを受け取ることができるよう助けるために召されているのです。

将来のクリスチャン・リーダーシップを考えるとき、私が確信しているのは、それが神学的なリーダーシップであるべきだ、ということです。それが実現するためには、神学校と大学の神学部に大きな変化が——実に大きな変化が——生じなければなりません。神学校は、時の徴《しるし》を正しく見分けるために人々を訓練する、中心的な場とならねばなりません。これは、単なる知的訓練だけでは不可能です。体と精神と心からなる全人格を含めた、深い霊的な人間形成が要求されます。神学校ですら、いかに世俗化してしまっているかを、私たちはまだ十分に気づいてはいません。ほとんどの神学校は、キリストの心、すなわち、権力にしがみつくことなく仕える者の姿をとり、ご自分を無にされたキリストの心を形づくることにもっとも精力を注いでいる、とは言い切れません。私たちの競争社会と、野心に満ちたこの世界のすべてが、それを妨げているからです。しかし、こうした人間形成がどの程度探求され、それがどの程度実現するかに、次世紀の教会の希望はかかっているのです。

むすび

これまでの話をまとめてみましょう。

ハーバードからラルシュに移ったことで、私はクリスチャンのリーダーシップについて、それまで気づかなかった新しい見方を与えられました。それは私の考えが、自分の能力を示したい、人気を得たい、権力を手にしたいという欲求に、いかに深く影響されていたか、ということです。あまりに私は、能力を示すこと、有名になること、強い権力を手に入れることを、効果的な働きのために必要だと見なしていました。しかし本当のところ、これらの欲求は神の召しではなく、誘惑です。イエスは、「あなたはわたしを愛するか」と問われました。そしてイエスは、私たちを羊飼いとして遣わし、私たちが少しずつ自分の手を伸ばして、自分からはむしろ行きたくない所に行かねばならない人生を約束されました。

自分の能力を示そうとする関心から祈りの生活へ、人気を得ようとする気遣いから、相互になされる共同の働きへ、権力を盾にしたリーダーシップから、神は私たちをどこに導いておられるかを批判的に識別するリーダーシップへと、私たちが移行することをイエスは求めておられます。

ラルシュの人々は、こうした新しい道を私に教えてくれています。私は学ぶに遅い者です。かつてきわめて有効であった古いパターンを断念するのは、生易しいことではありませんでした。しかし、次世紀のクリスチャン・リーダーシップについて考えるたびに私が確信することは、私がこれまでほとんど学ぼうとしてこなかった人々から道を教えられる、ということです。

私が願い、祈ることは、この新しい生活で私が学びつつあることが、私にとって価値があるだけでなく、これからのあるべきクリスチャン指導者像をとらえようとしている皆さんにも助けとなってくれることです。

私が申し上げてきたことは、もちろん何も目新しいことではありません。しかし、私の願いであり、祈りとするところは、もっとも古く、もっとも伝統的ですらあるこうしたクリスチャン・リーダーシップに対するビジョンが、これからの時代においてもなお実現が待ち望まれているということを、わかっていただきたいということです。

私は、皆さんの心にあるイメージを残して、ここを去りたいと思います。それは、手を伸ばし、あえて下降する生涯を選び取る指導者のイメージです。祈る指導者、傷つきやすい弱さをもった指導者、主に信頼を置く指導者、と言うこともできます。来たるべき世紀を想うとき、このイメージが、希望と勇気と確信をともなって皆さんの心を満たしてくれるようにと、切に願うものです。

エピローグ

これらの思索を原稿にすることと、ワシントンDCでそれを話すこととは、まったく別のことでした。

ビルと私はワシントン空港に着くと、クリスタルシティにあるクラレンドン・ホテルに案内されました。空港と同じポトマック川沿いにあるその一帯は、一見総ガラス張りとも思える現代的な高層建築が立ち並んでいます。ビルも私も、ホテルのきらびやかな雰囲気にすっかり圧倒されてしまいました。私たちは二人とも、ダブルベッドとたくさんのタオル付きのバスルームとケーブルテレビ付きの部屋があてがわれました。ビルの部屋のテーブルには、果物とワインのボトルが入ったバスケットが置いてあり、ビルはそれがとても気に入りました。テレビ愛好家である彼は、クィーンサイズのベッドに気持ちよさそうに腰をおろし、リモコンですべてのチャンネルをチェックしていました。

私たちが準備してきた講演の時間は、すぐにやって来ました。黄金の立像や噴水のある舞踏会場で、立食形式のおいしい晩餐をいただいたあと、ビンセント・ドゥワイヤーが、私を聴衆に紹介しました。それまで、ビルが「いっしょに奉仕する」という言葉を、どう受けとめていたかを私は知りませんでした。私は話の出だしとして、自分は一人ではなく、ビルといっしょにここに来れたことをとてもうれしく思う、と語りました。そして原稿を手にし、講演に入ったのです。そのとき、ビルが席を立って演壇に上がり、私のすぐ右うしろに立つのが見えました。「いっしょに奉仕する」という言葉で、彼が私よりももっと具体的なことを考えていたのは明らかでした。というのは、私が原稿を一ページ読み終えるたびに、何と彼はそれを受け取って、そばにあった小さなテーブルに裏返して置いてくれたのです。そのことによって私は、とてもくつろいだ気持ちになり、ビルの存在が私の支えとして感じられました。しかし、ビルが考えていたのは、それ以上のことでした。

人の歓心を買おうとする誘惑として、石をパンに変えることについて私が話し始めると、彼は私の言葉をさえぎり、皆に聞こえるような大きな声でこう言ったのです。

「その話なら前にも聞いたことがあります!」

彼にしてみれば、自分が私のことをよく知っており、その考えにも通じているのだということを、その場にいる司祭や牧師たちに、知ってほしかっただけなのです。しかし私にとっては、聴衆に信じ込ませなければならないほど私の考えが目新しいものでないと、優しく、愛をもって思い起こさせる声として感じられました。

ビルの一言は、会場に新しい雰囲気を創り出しました。それまでより、もっと明るい、くつろいだ、陽気な雰囲気になりました。ともかく、ビルはその場の堅苦しさを取り除き、ずっと素朴な、普段どおりの場にしたのです。話を続けるにつれ、私はますます本当にいっしょに奉仕している、ということを感じました。それは、私にとってうれしいことでした。

第二部に入り、「障害者といっしょに生活するようになって、いちばんよく尋ねられた質問は、『今晩、家にいる?』ということでした」というくだりにくると、ビルはまたも言葉をさえぎってこう言いました。

「そのとおりです。それはジョン・スメルツァーがいつも聞くことです」

彼の一言は、その場の雰囲気をさらに和らげるものがありました。ビルは、ジョン・スメルツァーとずいぶん長いこと同じ家に住んでいたので、彼のことをよく知っていたのです。彼にすれば、ただ自分の友人について聴衆に知ってほしかっただけなのです。しかし彼の一言は、聴衆の注意をまるで私たちの共同生活の親密さに招き入れたかのようでした。

私は原稿をすべて読み終えました。聴衆はそれについて感謝を示してくれました。すると、ビルが私にこう語りかけてきました。

「ヘンリ、ぼくにちょっと話させてもらえる?」

とっさのことに私は躊躇しました。「ああ、どうしたらよいだろう。とりとめのない話を始め、気まずい雰囲気になるかもしれない」、という思いが頭をかすめました。しかしそのあとで、私はふと思いました。彼には取り立てて話すほどのものはないだろう、と。そこで、私は聴衆に言いました。

「どうかお座り下さい。ビルが少しばかりお話したいそうです」

ビルはマイクを手に取り、やっとの思いで話し出しました。

「この前、ヘンリがボストンに行ったとき、ジョン・スメルツァーをいっしょに連れて行きました。今度は、ぼくにいっしょにワシントンに来てくれるように頼みました。皆さんといっしょにここにいられることを、ぼくはとてもうれしく思います。どうもありがとうございました」

それが、彼の言ったことのすべてでした。全員が立ち上がって、彼に暖かい拍手を送りました。演壇をあとにして歩きながら、ビルは私に言いました。

「ヘンリ。ぼくのスピーチ、どうだった？」

「本当にすばらしかった。みんな本当に喜んで聞いていたよ」

ビルは大喜びでした。飲み物を取りにその場の人々が集ったとき、ビルは以前にも増して、ずっとくつろいだ様子でした。人から人へと巡って自己紹介をし、その晩の感想を尋ね、デイブレイクでの彼の生活のことを、何から何まで話して聞かせました。私は、彼を一時間以上も見かけませんでした。そこにいたすべての人を知ろうとして、それほど忙しかったのです。

翌朝、帰る前に私たちがとった朝食の席で、ビルはコーヒーカップを手にし、テーブルからテーブルへと歩き回りました。そして、前の晩以来知り合いになったすべての人に別れを告げました。彼にとって、およそなじみにくい環境の中で、多くの友人をつくり、とてもくつろいでいたのがはっきりと見てとれました。

トロントに帰る機上、ビルは、どこに行くにも手放したことのないパズルの本から、顔を上げて言いました。

「ヘンリ。ぼくたちの旅行、気に入った？」

「もちろんだよ。すばらしい旅行だった。きみがいっしょにいてくれて、本当にうれしかった」

ビルはじっと私を見つめ、それからこう言いました。

「そして、ぼくたちはそれをいっしょにしたんだよね？」

そのとき私は、「ふたりでも三人でも、わたしの名において集まる所には、わたしもその中にいるからです」（マタイ一八・二〇）というイエスの言葉に込められた真理を、はっきりと理解しました。

それまでの私は、講義、説教、挨拶やスピーチなどを、いつも自分一人でしてきました。私の話したことがどれくらい人々の心に残るのか、疑問に思うこともよくありました。ただ、今ようやくわかりかけたことは、私の話したことは長く覚えられていないかもしれない。しかし、ビルと私がいっしょに行なったということは容易に忘れ去られることはないだろう――ということです。

私の願いと祈りは、私たち二人を遣し、旅行中いつも共にいてくださったイエスが、クラレンドン・ホテルに集った人々にも、真に臨在してくださるように、ということです。

私たちの乗った飛行機がようやく地上に降りたったとき、私はビルに言いました。

「ビル、ぼくと行ってくれて本当にありがとう。このすばらしい旅とぼくたちの奉仕はみな、二人でいっしょにしたんだよ。イエスの御名で……」

私は、心からそう思ったのでした。

訳者あとがき

この美しい本が残す豊かな魂の余韻を、訳者の言葉でかき消したくはありません。ただこれから読まれる方に、どうしてもお伝えしたいことがあります。この小さな本に湧き出ている霊の泉から汲んで飲む者は、魂に確かな変化を経験するだろう、ということです。

本書は講演の記録であり、虚飾のない証しの言葉で綴られています。しかし、深海の真珠のように静かな光を放つ優しく人間的な言葉の核は、「焼き尽くす火」（ヘブル一二・二九）であるお方の熱によって結晶したダイヤのように透明かつ硬質です。その言葉は、私たちの心の仮面に傷をつけますが、恩寵の光を柔らかに反射させてその傷を癒します。また、著者の内面と外の世界に向かう魂の旅は、闇夜を舞う蛍の光のように揺れながら、主を指し示して神秘の軌跡を描いています。

最初の読書の感動から、出版のための翻訳と校正の段階で、何度も本書を読み返す恵みが与えられました。その過程で、どれだけ作業の手を止められ、ため息まじりに祈りや黙想に導かれたことがあったでしょうか。読み進むうちに、傲り高ぶる思いがしずめられ、読み終えたときには、自分の内にいつも確かな変化が生じているのを感じます。現代の教会が、本当に「イエスの御名で」主から託された務めを行なっているのか、「イエスの御名のために」生きているのか、という重い問いをこの本は残します。そこで示されるのは、このところのあまたのリーダーシップに関する書物に見られるような、世の力ある者への道ではありません。古いふるいしもべとしての主イエスの道です。「わたしのくびきは負いやすく、わたしの荷は軽い」（マタイ一一・三〇）と約束された、すべての人に開かれた福音の道です。

著者のヘンリ・ジョーゼフ・マイケル・ナーウェンは、一九三二年オランダ生まれのローマカトリック司祭です。ノートルダム、イェール、ハーバードの神学校の教授として、牧会や牧会心理学を教えたのち、現在はカナダのトロントにあるラルシュ共同体の司祭として、知能に障害のある人々と共に暮らしています。

ナーウェンは、現代における霊性（スピリチュアリティー）の教師として、エキュメニカルな共感を得ています。本書から受けた感動を何度か雑誌に書きましたが、思いがけない方々から励ましをいただきました。「すべての神学生、牧師に読んでいただきたい本です」と言って下さった方もいました。本書に収められた講演の主題は、これからの指導者像であり、聴衆は牧師や司祭ですが、そのメッセージは、すべてのクリスチャンに切実なものです。このようなかけがえのない本を翻訳できたことを、本当に幸せに思います。私にとって本書は将来に向かう道筋を照らす恵みの光となりました。読者の皆さまにも同じ恵みがありますように、心からお祈りいたします。

一九九三年　受難節を迎えて

後藤敏夫

著者　ヘンリ・J. M. ナーウェン（1932-1996）

オランダ生まれ。カトリック司祭。
ノートルダム大学、イェール大学、ハーバード大学で教えたのち、
亡くなるまでの約十年間、ラルシュ・コミュニティの牧者として生活した。
邦訳書『待ち望むということ』『まことの力への道』『いま、ここに生きる』
『愛されている者の生活』『明日への道』（以上、あめんどう）その他多数。

訳者　後藤敏夫（ごとう・としお）

1949年生まれ。聖書神学舎卒。キリスト教朝顔教会牧師を経て、
日本キリスト召団オリーブ山教会、四街道恵泉塾。
著書『終末を生きる神の民』『神の秘められた計画、福音の再考』（いのちのことば社）
ブログ「どこかで泉が湧くように」

イエスの御名で

1993年4月1日　初版発行
2024年3月15日　15刷発行

著者／ヘンリ・ナーウェン
訳者／後藤敏夫
装丁／倉田明典
発行者／小渕春夫
発行所／有限会社あめんどう
〒101-0062 東京都千代田区神田駿河台2-1 OCC
電話：03-3293-3603　FAX：03-3293-3605
郵便振替 00150-1-566928

ISBN 987-4-900677-39-5
印刷　モリモト印刷
Printed in Japan